FABULAS

FABULAS

Escritas e ilustradas por
ARNOLD LOBEL

ALFAGUARA

Título original:
Fables

Santillana USA Publishing Co., Inc.
2109 NW 86th Avenue
Miami, FL 33122

Primera edición: 1987

Printed in U.S.A.

©1980 by Arnol Lobel
Edición original de Harper & Row, New York, 1980
Versión en castellano de Salustiano Masó
©1987, Altea, Taurus, Alfaguara, S.A.
©1992, Santillana S.A.
Elfo, 32 - 28027 Madrid
Teléfono 322 45 00
I.S.B.N.: 84-204-4552-5
Depósito legal: M. 28.663-1992

LAS FABULAS

EL COCODRILO EN EL DORMITORIO

Hubo una vez un Cocodrilo al que le encantaba el papel de las paredes de su dormitorio. Cada día le gustaba más, y se pasaba las horas contemplándolo.

—Mira, fíjate, ¡qué filas de flores y de hojas tan ordenadas, tan derechas! —dijo el Cocodrilo—. Son igual que soldados. No hay una sola que se salga de la formación.

—Querido —dijo la mujer del Cocodrilo—, pasas demasiado tiempo en la cama. Sal a mi jardín; aquí se respira aire puro y luce el sol.

—Bueno, saldré si te empeñas, pero sólo un ratito —dijo el Cocodrilo. Se puso unas gafas oscuras para protegerse los ojos del sol deslumbrante y salió de la casa.

La señora Cocodrilo estaba orgullosa de su jardín.

—Mira las malvas reales y las margaritas —dijo—. Huele las rosas y los lirios del valle.

—¡Cielo santo! —exclamó el Cocodrilo—. ¡Las flores y las hojas de este jardín crecen en un desorden terrible! ¡Colocadas de cualquier manera! ¡Todas revueltas y entrelazadas!

El Cocodrilo volvió precipitadamente a su dormitorio lleno de consternación y en seguida se consoló mirando el papel de la pared.

—¡Ah! —dijo el Cocodrilo—. ¡Aquí tengo un jardín muchísimo mejor! ¡Estas flores hacen que me sienta feliz y seguro!

A partir de entonces el Cocodrilo ya no volvió a levantarse de la cama sino muy raras veces. Se pasaba la vida acostado, sonriendo a las paredes, y se fue poniendo pálido y más pálido, de un enfermizo tinte verdoso.

No hay duda: bien está el orden, pero sin exagerar.

LAS PATAS Y EL ZORRO

Dos Patas hermanas bajaban contoneándose por el camino del estanque para tomar su baño matutino.

—Este es un buen camino —dijo la primera de las hermanas—, pero yo creo que deberíamos buscar una ruta distinta, para variar. Hay muchos otros caminos que llevan al estanque.

—No —dijo la segunda hermana—. No estoy de acuerdo. No me apetece ir por un camino nuevo. Este me resulta agradable. Me he acostumbrado a ir por él.

Cierta mañana, las Patas se encontraron con un Zorro que estaba sentado sobre una cerca a la vera del camino.

—Buenos días, señoras —dijo el Zorro—. Van al estanque, ¿verdad?

—Sí —respondieron las hermanas—, venimos todos los días por aquí.

—Muy interesante —dijo el Zorro con una sonrisa que dejaba entrever sus dientes.

Cuando salió el sol a la mañana siguiente, la primera hermana dijo:

—Seguro que volveremos a encontrarnos con ese Zorro si vamos por donde siempre. No me gustó nada la pinta que tiene. ¡Hoy sí que deberíamos buscar otro camino!

—Mira que eres tonta —dijo la segunda hermana—. ¿No viste cómo nos sonrió ayer? Parecía todo un caballero.

Y las dos hermanas bajaron contoneándose por el mismo camino de siempre hacia el estanque. Allí estaba el Zorro, sentado sobre la cerca. Esta vez llevaba un saco.

—Mis queridas señoras —dijo el Zorro—, las estaba esperando. Me alegro de que no me hayan defraudado.

Y, abriendo el saco, se abalanzó sobre ellas.

Las hermanas graznaron y chillaron. Batieron las alas a la desesperada. Volaron hasta su casa y cerraron la puerta con cerrojo.

A la mañana siguiente, las dos Patas no salieron. Se quedaron en casa para calmar sus nervios. Y al otro día, con muchísimo tiento, buscaron un camino diferente. Hasta que acertaron con uno que las condujo sanas y salvas al estanque.

A veces, un cambio de rutina puede resultar de lo más saludable.

EL REY LEON Y EL ESCARABAJO

El rey León se miró en el espejo.

—¡Qué criatura tan noble y majestuosa soy! —exclamó—. ¡Saldré a mostrar a mis fieles vasallos que su soberano es un rey de cuerpo entero!

El rey se puso sus ropajes de ceremonia, su enorme corona guarnecida de piedras preciosas y todas sus medallas de plata y oro. Salió a recorrer los caminos de su reino y todo el que le veía hacía una reverencia hasta el suelo.

—Sí, sí —dijo el rey León—. ¡Merezco este respeto por parte de mi pueblo, pues no hay duda que soy un rey de cuerpo entero!

Junto al camino estaba un diminuto Escarabajo.

Cuando el Rey reparó en él, le gritó:

—¡Escarabajo, te ordeno que te inclines ante mí!

—¡Oh Regia Majestad! —dijo el Escarabajo—. Ya sé que soy pequeño, pero si me miráis de cerca, veréis que estoy haciéndoos la reverencia.

El rey se inclinó.

—Escarabajo —dijo—, ¡es tan difícil verte ahí abajo! Todavía no estoy seguro de que estés haciendo ninguna reverencia.

—Majestad —dijo el Escarabajo—, hacedme la merced de mirar más de cerca. Os aseguro que estoy inclinado ante vos.

El rey se inclinó un poco más.

Y ocurrió que como los ropajes de ceremonia, la enorme corona guarnecida de piedras preciosas y todas las medallas de plata y oro recargaban excesivamente su peso, el rey León perdió de repente el equilibrio y cayó de cabeza. Con tremendo estrépito, fue a parar a una zanja que había junto a la cuneta.

El Escarabajo se escabulló, asustado. De la cabeza a los pies, el rey León quedó cubierto de barro lo que se dice de cuerpo entero.

El encumbrado y poderoso es el que cae desde más alto.

LA LANGOSTA Y EL CANGREJO

Cierto día de borrasca, el Cangrejo paseaba tranquilamente por la playa. Le sorprendió mucho ver a la Langosta preparándose para salir al mar con su barquita.

—Langosta —dijo el Cangrejo—, es insensato arriesgarse a salir en un día como éste.

—Tal vez lo sea —repuso la Langosta—, ¡pero a mí me encanta un buen turbión en el mar!

—Iré contigo —dijo el Cangrejo—. No voy a dejar que arrostres tú sola un peligro tan grande.

La Langosta y el Cangrejo iniciaron su travesía. Pronto se encontraron lejos de la costa. Las turbulentas aguas zarandeaban y vapuleaban la barquichuela.

—¡Cangrejo! —gritó la Langosta para hacerse oír sobre el rugido del viento—. ¡Para mí, es emocionante el que me salpique la espuma! ¡Cada ola que nos revienta encima me deja suspenso el ánimo!

—Langosta, creo que nos hundimos! —clamó el Cangrejo.

—Pues claro que nos hundimos —dijo la Langosta—. Este viejo bote mío está lleno de agujeros. ¡Ten valor, amigo mío! Recuerda que los dos somos hijos de la mar.

La barquilla zozobró y se hundió en las aguas.

—¡Horror de horrores! —exclamó el Cangrejo.

—¡Allá que vamos para abajo! —gritó la Langosta.

El Cangrejo estaba tembloroso y consternado, presa de los nervios. La Langosta lo llevó a dar un paseo tranquilizador por el fondo del océano.

—¡Qué valientes somos! —dijo la Langosta—. ¡Qué aventura tan estupenda hemos corrido!

El Cangrejo empezó a sentirse algo mejor. Aunque él solía gozar de una existencia más tranquila, tuvo que admitir que aquel día había tenido un atractivo fuera de lo común.

Correr alguna vez pequeños riesgos da emoción y aliciente a la vida.

LA GALLINA Y EL MANZANO

Cierto día de octubre, se asomó una Gallina a su ventana y vio un manzano que se alzaba en su corral.

—Qué cosa más rara —dijo la Gallina—. Estoy segura de que ayer no había ningún árbol ahí.

—Es que algunos de nosotros crecemos muy aprisa —dijo el árbol.

La gallina miró el punto donde el árbol arrancaba del suelo.

—En mi vida he visto un árbol —dijo— que tenga diez dedos peludos.

—Pues algunos los tenemos —contestó el árbol—. Gallina, sal aquí afuera a disfrutar de la fresca sombra de mis frondosas ramas.

La Gallina miró la copa del árbol.

—Jamás he visto un árbol —dijo— que tenga dos orejas largas y puntiagudas.

—Pues hay árboles con orejas como éstas —dijo el manzano—. Gallina, sal a comerte una de mis exquisitas manzanas.

—Y ahora que caigo en la cuenta —dijo la Gallina—, es la primera vez que oigo hablar a un árbol por una boca llena de dientes afilados.

—Algunos de nosotros hablamos así —dijo el árbol—. Gallina, sal a recostarse en la corteza de mi tronco.

—Tengo entendido —dijo la Gallina— que algunos árboles semejantes a ti pierden todas sus hojas en esta época del año.

—Claro que sí —respondió el árbol—, los hay que en otoño se quedan sin hojas. El árbol comenzó entonces a temblar y estremercerse y todas sus hojas se desprendieron y cayeron en un santiamén.

No sorprendió ni pizca a la Gallina descubrir a un enorme Lobo en el lugar donde momentos antes se alzaba un manzano. Conque cerró de golpe la ventana y atrancó las contraventanas.

El Lobo comprendió que había sido más lista que él y se largó con viento fresco, famélico y enfurecido.

Siempre es difícil aparentar lo que no se es.

EL PARAGUAS DEL BABUINO

El Babuino daba su paseo diario por la selva. En el camino se encontró con su amigo el Gibón.

—Mi buen amigo —dijo el Gibón—, cuánto me choca verte con el paraguas abierto sobre la cabeza en un día de sol como el que hoy hace.

—Sí —dijo el Babuino—, y estoy de lo más fastidiado. No puedo cerrar este estúpido paraguas. Se ha atascado. Y no me decido a salir sin él por si llueve. Pero, como ves, con esta sombra encima no disfruto del sol. Es una pesadez.

—La solución es buen sencilla —dijo el Gibón—. No tienes más que abrir unos cuantos agujeros en tu paraguas. Entonces te dará el sol.

—¡Qué buena idea! —exclamó el Babuino—. Muchas gracias.

El babuino volvió corriendo a casa, echó mano a las tijeras y abrió grandes agujeros en la tela de su paraguas. Cuando el Babuino tornó a su paseo, la cálida luz del sol penetró por las aberturas que había hecho.

—¡Qué delicia! —exclamó el Babuino.

Pero el sol desapareció detrás de unas nubes. Cayeron algunas gotas. Luego empezó a llover a cántaros. El agua entraba por todos los agujeros del paraguas. En poquísimo tiempo, el desdichado Babuino se caló hasta los huesos.

El consejo de los amigos es como el tiempo. A veces es bueno
y a veces es malo.

16

LAS RANAS EN EL FINAL DEL ARCO IRIS

Nadaba cierta Rana en una charca después de un chaparrón cuando vio un aro iris resplandeciente que se extendía de un extremo a otro del cielo.

—He oído contar —dijo la Rana— que en el lugar donde termina el arco iris hay una cueva llena de oro. ¡Encontraré esa cueva y seré la rana más rica del mundo!

Y nadó hasta la orilla de la charca lo más aprisa que pudo. Allí se encontró con otra Rana.

—¿Adónde vas tan corriendo? —preguntó la segunda Rana.

—Voy al lugar donde termina el arco iris —dijo la Rana primera.

—Corre el rumor —dijo la segunda Rana— de que en ese lugar hay una cueva llena de oro y de diamantes.

—Entonces ven conmigo —dijo la primera Rana—. ¡Seremos las dos ranas más ricas del mundo!

Las dos Ranas brincaron fuera de la charca y corrieron por el prado. Allí se encontraron con otra Rana.

—¿A qué tantas prisas? —preguntó la tercera Rana.

—Corremos hacia el lugar donde termina el arco iris —respondieron las otras dos.

—Pues a mí me han contado —dijo la tercera Rana— que hay en ese lugar una cueva llena de oro, diamantes y perlas.

—Entonces vente con nosotras —propusieron las dos Ranas—. ¡Seremos las tres Ranas más ricas del mundo!

Las tres Ranas recorrieron no sé cuántas leguas. Por último, llegaron al final del arco iris. Allí descubrieron una oscura cueva en la ladera de una montaña.

—¡Oro! ¡Diamantes! ¡Perlas! —exclamaron las Ranas, mientras se introducían a saltitos en la cueva.

En el interior de la cueva vivía una Serpiente, que tenía hambre y estaba pensando precisamente en la cena. Conque, visto y no visto, se zampó a las tres Ranas de un solo bocado.

Las más altas esperanzas pueden conducir a los mayores desengaños.

EL OSO Y EL CUERVO

El Oso iba camino de la ciudad. Vestía su chaqueta y chaleco más elegantes. Llevaba su mejor sombrero hongo y sus zapatos más relucientes.

—Tengo un aspecto magnífico —iba diciéndose el Oso—. La gente de la ciudad se va a quedar impresionada. Voy vestido a la última moda.

—Perdóname por escucharte —dijo un Cuervo que estaba posado en la rama de un árbol—, pero debo advertirte que estás equivocado. Tu atuendo no es de última moda. Precisamente acabo de llegar ahora de la ciudad y puedo decirte con exactitud cómo visten allí los caballeros.

—¡Por tu vida, dímelo! —rogó el Oso—. ¡Nada me importa tanto como ir vestido del modo más adecuado!

—Este año —dijo el Cuervo—, los caballeros no llevan sombrero. Todos se cubren la cabeza con una sartén. No visten chaqueta ni chaleco. Van envueltos en sábanas. Ni calzan zapatos. Se ponen en los pies bolsas de papel.

—¡Cielos! —exclamó el Oso—, ¡toda mi indumentaria está fuera de lugar!

El Oso volvió precipitadamente a casa. Se quitó chaqueta, chaleco, sombrero y zapatos. Se cubrió la cabeza con una sartén. Se envolvió el cuerpo en una sábana de la cama. Metió los pies en sendas bolsas de papel y salió a toda marcha hacia la ciudad.

Cuando el Oso apareció en la Calle Mayor, los transeúntes empezaron a sonreírse, a cuchichear y a señalarlo con el dedo.

—¡Qué Oso más ridículo! —decían.

El Oso, desconcertado, dio media vuelta y corrió hacia su casa. Por el camino se encontró de nuevo con el Cuervo.

—¡Cuervo, no me dijiste la verdad! —clamó el Oso.

—Te dije muchas cosas —repuso el Cuervo levantando el vuelo del árbol—, ¡pero en ningún momento te dije que estuviera diciéndote la verdad!

Y aunque el Cuervo se había elevado ya mucho, el Oso todavía alcanzaba a oír el sonido estridente de sus carcajadas.

Cuando la necesidad de creer es grande, los hay capaces de creer cualquier cosa.

LAS VISIONES DEL GATO

———

Qué espléndida visión tengo! —exclamó el Gato camino del río—. Veo un pez grande, gordo, en una fuente de porcelana, nadando en un océano de jugo de limón y salsa de mantequilla.

Se relamía los bigotes por anticipado.

El Gato puso una lombriz en el anzuelo, echó el sedal al agua y aguardó a que picara algún pez. Transcurrió una hora, y nada.

—¡Qué visión tengo! —dijo el Gato—. Un pez en una fuente de porcelana, nadando en un lago de jugo de limón y salsa de mantequilla.

Pasó una hora más, y nada de nada.

—¡Tengo una visión! —exclamó de nuevo el Gato—. Un pececillo en una fuente de porcelana, rociado de jugo de limón y con un poco de salsa de mantequilla.

Varias horas después decía el Gato:

—Todavía tengo una visión. Un pez diminuto y flaco en una fuente de porcelana con una gota de jugo de limón y una pizca de salsa de mantequilla.

Al cabo de mucho, mucho tiempo, dijo tristemente el Gato:

—Una nueva visión aparece en mi mente. No veo ningún pez. No veo jugo de limón ni rastro de salsa de mantequilla. Sólo una fuente de porcelana. Tan vacía como mi estómago.

Disponíase el Gato a abandonar la orilla del río cuando sintió un tirón repentino en el sedal y sacó del agua un pez bien grande y bien gordo.

El Gato volvió corriendo a casa y frió aquel pez. Lo puso en una fuente de porcelana. Le echó un océano de jugo de limón y lo cubrió de salsa de mantequilla.

—¡Qué cena tan espléndida! —exclamó el Gato.

———

Bien está lo que en buen festín acaba.

EL AVESTRUZ ENAMORADO

El Domingo, vio el Avestruz a una dama que paseaba por el parque. Se enamoró de ella al instante. La siguió a cierta distancia, poniendo los pies en los mismos sitios donde ella había pisado.

El Lunes, recogió el Avestruz violetas para hacer un regalo a su amada. Era demasiado tímido para dárselas en persona. Las dejó en su puerta y se alejó corriendo, pero una inmensa alegría le llenaba el corazón.

El Martes, compuso el Avestruz una canción para su amada. Se pasó el día cantándola. Le parecía la música más hermosa que había oído en su vida.

El Miércoles, contempló el Avestruz a su amada mientras cenaba en un restaurante. Olvidó pedir la cena para sí mismo. Era demasiado feliz para sentir hambre.

El Jueves, escribió el Avestruz un poema para su amada. Era el primer poema que escribía en su vida, pero le faltó el valor para leérselo a ella.

El Viernes, se compró el Avestruz un traje nuevo. Ahuecó las plumas. Se sentía elegante y guapo, y esperó que tal vez su amada se fijara en él.

El Sábado, el Avestruz soñó que bailaba con su amada en un suntuoso salón de baile. La llevaba estrechamente enlazada mientras daban vueltas y vueltas al compás de la música. Al despertar se sentía prodigiosamente lleno de vida.

El Domingo, el Avestruz volvió al parque. Cuando volvió paseando por allí a la damisela, empezó a latirle el corazón como loco, pero se dijo:

—Ay, parece que soy demasiado tímido para el amor. Otra ocasión habrá, tal vez. Pero ésta, sin duda, ha sido una semana bien empleada.

El amor puede contener su propia recompensa.

LAS DANZAS DE LA CAMELLA

La Camella había puesto toda su ilusión en llegar a ser bailarina de ballet.

—Hacer de cada movimiento un dechado de gracia y de belleza —decía la Camella—. Ese es mi único deseo.

Practicaba una y otra vez sus piruetas, sus giros de puntillas y sus arabescos. Repetía las cinco posiciones básicas cien veces al día. Trabajó así durante largos meses bajo el ardiente sol del desierto. Tenía los pies llenos de ampollas y le dolía todo el cuerpo a causa de la fatiga, pero ni una sola vez pensó en dejarlo.

Por fin la Camella dijo:

—Ya soy bailarina.

Anunció un recital de danza y bailó ante un grupo de camellos invitados, amigos y críticos. Cuando acabó su exhibición, hizo una profunda reverencia.

No hubo aplausos.

—He de decirte con franqueza —dijo un miembro del auditorio—, como crítico y como portavoz de este grupo, que eres torpona y cheposa, barriguda y desmañada. Como todos nosotros, eres simplemente un camello. ¡No eres ni serás nunca bailarina de ballet!

Y el auditorio se alejó por la arena entre risas más o menos disimuladas.

—¡Qué equivocados están! —exclamó la Camella—. He trabajado de firme. No puede caber duda alguna de que soy una bailarina estupenda. Bailaré y bailaré para mí sola.

Y eso fue lo que hizo. Y le proporcionó muchos años de placer.

A los que se gustan a sí mismos no les faltará satisfacción.

EL PERRO VIEJO Y MENESTEROSO

Érase una vez un Perro viejo muy pobre, muy pobre. El único gabán que tenía para protegerse del frío consistía casi todo en agujeros unidos entre sí por jirones deshilachados. A través de las delgadas suelas de sus andrajosos zapatos sentía en los pies los guijarros del pavimento. Dormía en el parque porque no tenía hogar.

El Perro se pasaba la mayor parte del tiempo rebuscando en cubos de basura. Encontraba cabos de cuerda y botones sueltos, que vendía por unos céntimos a los transeúntes.

El perro andaba siempre con la nariz pegada al bordillo de la acera, en busca de cosas que vender. Así fue cómo cierto día vino a encontrar aquella sortija de oro caída en el arroyo.

—¡Ha cambiado mi suerte! —exclamó el Perro—, porque estoy seguro de que éste es un anillo mágico!

El Perro frotó la sortija y pidió:

—Deseo un abrigo nuevo. Deseo unos zapatos nuevos. Deseo una casa donde vivir. ¡Deseo que estos deseos se hagan realidad ahora mismo!

Pero no sucedió nada. El Perro sentía el viento a través de los agujeros de su gabán. Sentía los guijarros de punta bajo las delgadas suelas de sus zapatos. Y esa noche durmió en el parque, en su banco de siempre.

Algunos días después, el Perro vio un aviso pegado a una farola.

«Perdida sortija de oro. Buena recompensa. Señor Terrier. Calle Fortuna, diez.»

El Perro viejo acudió a toda prisa a la Calle Fortuna. El Señor Terrier se puso contentísimo de recuperar su sortija. Dio las gracias reiteradamente al Perro y le entregó una abultada bolsa llena de monedas.

El Perro se compró un abrigo de piel. Se compró un par de buenos zapatos con las suelas gruesas.

Todavía le quedaba una crecida suma de dinero, y el Perro la empleó en un primer pago para la adquisición de una cómoda casita donde vivir. Se trasladó a ella en seguida y ya no tuvo que volver a dormir en el parque nunca más.

No pretendáis que los deseos se hagan realidad en el acto.

LA SEÑORA RINOCERONTE Y SU VESTIDO

La señora Rinoceronte vio un vestido en el escaparate de una tienda. Tenía lunares y flores y estaba adornado con cintas y encajes. Lo contempló un instante y entró en el establecimiento.

—Ese vestido del escaparate —dijo la señora Rinoceronte a un dependiente—, quisiera probármelo.

La señora Rinoceronte se puso el vestido y se miró en el espejo.

—Creo que este vestido no me sienta nada bien —dijo.

—Pero, señora —dijo el dependiente—, está usted muy equivocada. Ese vestido le da a usted un encanto y un atractivo irresistible.

—Si tuviera la seguridad… —dijo la señora Rinoceronte.

—Ah, señora —prosiguió el dependiente—, todo el que la vea con él se llenará de admiración y de envidia.

—¿De veras lo cree usted? —preguntó la señora Rinoceronte, dándose vueltas y más vueltas delante del espejo.

—Sin duda de ningún género —dijo el dependiente—. Le doy mi palabra.

—Muy bien —dijo la señora Rinoceronte—, compro el vestido, y me lo llevo puesto.

La señora Rinoceronte salió de la tienda. Por el paseo, observó que la gente gesticulaba y se reía al verla.

«Admiración», pensó la señora Rinoceronte.

Vio también que algunos movían la cabeza con desaprobación y arrugaban el entrecejo.

«Envidia», pensó la señora Rinoceronte.

Y continuó su paseo por la avenida. Todo el que la veía se paraba y la miraba sorprendido. La señora Rinoceronte se sentía más atractiva y seductora a cada paso que daba.

No hay nada más difícil de resistir que un poco de halago.

EL CANGURO MAL EDUCADO

Hubo una vez un pequeño Canguro que se portaba mal en la escuela. Ponía chinchetas en la silla del maestro. Disparaba pelotillas de papel en la clase. Hacía estallar petardos en los servicios y untaba de cola los tiradores de las puertas.

—¡Tu conducta es intolerable! —dijo el director del colegio—. Voy a ir a ver a tus padres. ¡Les diré lo incorregible que eres!

El director fue a visitar al señor y a la señora Canguro. Se sentó en una silla de la sala.

—¡Ay! —gimió el director. —¡En esta silla hay una chincheta!

—Sí, lo sé —dijo el señor Canguro—. Me divierte poner chinchetas en las sillas.

Una pelotilla de papel dio al director en la nariz.

—Perdóneme —dijo la señora Canguro—, pero no puedo resistir la tentación de tirarlas.

Se oyó un estampido tremendo en el cuarto de baño.

—Tranquilo, no se alarme —dijo el señor Canguro al director—. Acaban de estallar los petardos que guardamos en el botiquín. Nos encanta el ruido.

El director se precipitó hacia la puerta. En un instante se quedó pegado al tirador.

—Tire con fuerza —dijo la señora Canguro—. Hay pegotes de cola en todos los pomos de nuestras puertas.

El director se soltó de un tirón. Salió a escape de la casa y corrió calle abajo.

—Una persona encantadora —dijo el señor Canguro—. Me pregunto por qué se habrá marchado tan aprisa.

—Tendría otro compromiso, sin duda —dijo la señora Canguro—. No importa, la cena está lista.

El señor y la señora Canguro y su hijo cenaron en paz y contento. Después de los postres, se entretuvieron en tirarse pelotillas de papel por encima de la mesa del comedor.

La conducta de un niño refleja las costumbres de sus padres.

EL CERDO EN LA CONFITERIA

El Cerdo soñó toda la noche con dulces y confites. Le habían brotado alas de azúcar hilado, y, a través de nubes de rico merengue, voló hasta una luna de reluciente mazapán. Las estrellas que parpadeaban en el cielo eran bombones envueltos en brillante papel de plata.

El Cerdo se despertó con la boca hecha agua.

—¡Dulces! —exclamó—. ¡Tengo que tomar alguno ahora mismo!

Corrió el Cerdo hacia la bandeja de los dulces. Estaba vacía. La bombonera del aparador no contenía más que envolturas de papel.

—Iré a la confitería —dijo el Cerdo, mientras se vestía y salía disparado de su casa.

—Claro que ahora que lo pienso —dijo el Cerdo—, debo recordar que los dulces son malos para mí. Me ponen más gordo de lo que ya estoy. Me producen gases y acidez.

Pero el Cerdo se acordó entonces de sus dulces sueños. Decidió que como ya estaba a mitad de camino de la confitería, bien podía concluir el trayecto.

—Unos caramelitos de menta no me harán daño —dijo.

Y según se acercaba a la tienda, empezó a hacérsele la boca agua.

—Quizá me compre también una bolsita de pastillas de goma —dijo.

Pero la confitería estaba cerrada. Había un letrero en la puerta que rezaba: «Cerrado por vacaciones».

El Cerdo se volvió a casa.

—¡Qué admirable fuerza de voluntad tengo! —exclamó complacido—. ¡No me he comido ni un solo dulce!

Aquella noche el Cerdo se hizo una buena ensalada para cenar. Se bebió un vaso de leche fresca. Se sintió ligero y no tuvo ni gases ni acidez.

No hay nada mejor que una puerta cerrada para alejar la tentación.

EL ELEFANTE Y SU HIJO

El Elefante y su hijo pasaban la velada en casa. Elefante Hijo se había puesto a cantar una canción.

—Debes guardar silencio —dijo Elefante Padre—. Tu papá está intentando leer su periódico. Papá no puede escuchar una canción mientras lee su periódico.

—¿Por qué no? —preguntó Elefante Hijo.

—Porque Papá no puede pensar en más de una cosa al mismo tiempo, por eso —repuso Elefante Padre.

Elefante Hijo dejó de cantar. Se estuvo allí sentado, calladito. Elefante Padre encendió un cigarro y continuó leyendo.

Al rato, Elefante Hijo preguntó:

—Papá, ¿sigues sin poder pensar en más de una sola cosa al mismo tiempo?

—Sí, hijo mío —respondió Elefante Padre—, así es en efecto.

—Pues entonces —dijo Elefante Hijo—, ¿podrías dejar de pensar en tu periódico y empezar a pensar en la zapatilla de tu pie izquierdo?

—Pero, hijito —dijo Elefante Padre—, el periódico de Papá es mucho más importante, interesante e informativo que la zapatilla de su pie izquierdo.

—Puede que sí —observó Elefante Hijo—, pero mientras que tu periódico no se ha prendido fuego con las cenizas de tu cigarro, ¡la zapatilla de tu pie izquierdo está ardiendo!

Elefante Padre corrió a meter el pie en un cubo de agua. Elefante Hijo empezó a cantar de nuevo por lo bajito.

El saber no siempre es preferible a la simple observación.

EL PELÍCANO Y LA GRULLA

La Grulla invitó al Pelícano a merendar.

—Qué amable ha sido usted invitándome —dijo el Pelícano a la Grulla—. Nadie me invitaba a ninguna parte.

—Es para mí un gran placer —dijo la Grulla al Pelícano, pasándole el azucarero—. ¿Toma usted azúcar con el té?

—Sí, gracias —respondió el Pelícano. Y volcó medio azucarero en su taza, mientras derramaba la otra mitad por el suelo.

—Al parecer no tengo ni un solo amigo —dijo el Pelícano.

—¿Toma usted leche con el té? —preguntó la Grulla.

—Sí, gracias —contestó el Pelícano. Vertió algo de leche en su taza, pero la mayor parte quedó formando un charco sobre la mesa.

—Yo espero y espero —dijo el Pelícano—. Nadie me llama nunca.

—¿Quiere tomar una galleta? —preguntó la Grulla.

—Sí, gracias —repuso el Pelícano. Cogió un montón enorme de galletas y se las metió de una vez en la boca. La pechera de su camisa quedó cubierta de migajas.

—Espero que vuelva usted a invitarme —dijo el Pelícano.

—Tal vez —respondió la Grulla—, ¡pero tengo tantas ocupaciones estos días!

—Adiós, hasta la próxima —dijo el Pelícano. Y engulló un buen puñado de galletas más. Se limpió la boca con el mantel y se largó.

Una vez que el Pelícano se hubo ido, la Grulla meneó tristemente la cabeza y suspiró. Luego llamó a su doncella para que limpiara todo aquel desarreglo.

Cuando alguien no es aceptado en sociedad, sus razones habrá.

EL GALLO JOVEN

Un Gallo joven fue llamado junto al lecho de muerte de su Padre.

—Hijo, ha llegado mi hora —dijo el Gallo viejo—: ahora te toca a ti cantar por las mañanas para que salga el sol.

Y el Gallo joven contempló entristecido cómo a su Padre se le escapaba la vida.

A la mañana siguiente bien temprano, el Gallo joven se encaramó de un vuelo al tejado del pajar. Se plantó allí muy tieso, mirando a levante.

—Es la primera vez que hago esto —dijo el Gallo—. Procuraré que me salga lo mejor posible. —Irguió la cabeza y ensayó un quiquiriquí. Pero sólo consiguió emitir un cacareo débil y carrasposo.

El sol no salió. Las nubes cubrieron el cielo y no dejó de lloviznar en todo el día. Todos los animales de la granja fueron a reclamar al Gallo.

—¡Esto es un desastre! —gritó un Cerdo.

—¡Necesitamos nuestro sol! —vociferó una Oveja.

—Gallo, tienes que cantar mucho más fuerte —dijo un Buey—. El sol está a ciento cincuenta millones de kilómetros. ¿Cómo esperas que te oiga?

A la mañana siguiente muy temprano, el Gallo volvió a subirse de un vuelo al tejado del pajar. Hizo una aspiración profunda, echó la cabeza atrás y soltó un sonoro QUIQUIRIQUI. Fue el quiquiriquí más estentóreo que jamás se había oído desde que existen gallos en el mundo.

Los animales de la granja se despertaron sobresaltados de su sueño.

—¡Que estrépito! —gritó el Cerdo.

—¡Me duelen los tímpanos! —vociferó la Oveja.

—¡La cabeza se me parte en dos! —dijo el Buey.

—Lo siento —dijo el Gallo—, pero me he limitado a cumplir con mi obligación.

Dijo esto con no poco orgullo, pues, allá por levante, veía despuntar el sol de la mañana sobre las copas de los árboles.

Un primer fracaso suele allanar el camino para un posterior éxito.

LA CENA DEL HIPOPÓTAMO

El Hipopótamo entró en un restaurante. Se sentó a su mesa favorita.

—¡Camarero! —llamó el Hipopótamo—. Tomaré el potaje de judías, las coles de Bruselas y el puré de patatas. Y por favor, dése prisa, ¡esta noche tengo un hambre tremenda!

Al poco rato volvió el camarero con lo pedido. El Hipopótamo miró la bandeja indignado.

—Camarero —dijo—, ¿a esto llama usted una comida? Estas raciones son pequeñísimas. No satisfarían ni a un pájaro. Quiero una *bañera* de potaje de judías, un *cubo* de coles de Bruselas y una *montaña* de puré de patata. ¡Ya le he dicho que estoy MUERTO DE HAMBRE!

El camarero volvió a la cocina. Cuando apareció de nuevo traía sopa de fríjoles en cantidad suficiente para llenar una bañera, coles de Bruselas para llenar un cubo y una montaña de puré de patata. En nada de tiempo, el Hipopótamo dio cuenta hasta del último bocado.

—¡Delicioso! —dijo el Hipopótamo, frotándose la boca con una servilleta y preparándose para salir.

Entonces vio, son sorpresa, que no podía moverse. Su barriga, que había aumentado considerablemente de tamaño, estaba atrapada entre la mesa y la silla. Forcejeó, dio tirones, pero todo en vano. No podía salir de allí.

Pasó el tiempo. Los demás parroquianos del restaurante terminaron sus cenas y se marcharon. Los cocineros se quitaron los delantales y guardaron sus cacerolas. Los camareros despejaron las mesas y apagaron las luces. Se fueron todos a casa.

El Hipopótamo se quedó allí desamparado, sentado a la mesa.

—Quizá no debería haber comido tantas coles de Bruselas —dijo, contemplando las sombras melancólicas del restaurante a oscuras. Dez vez en cuando eructaba.

Los excesos de cualquier clase suelen dejar una sensación de pesadumbre.

EL RATON A LA ORILLA DEL MAR

Un Ratón dijo a su madre y a su padre que se iba de viaje a la orilla del mar.

—¡Nos dejas con el alma en vilo! —clamaron—. El mundo está lleno de espantos. ¡No debes irte!

—He tomado mi decisión —dijo el Ratón con firmeza—. No he visto nunca el océano, y ya es hora de que lo vea. Nada podrá hacerme desistir.

—Entonces no podemos detenerte —dijeron Madre y Padre Ratón—, ¡pero ten cuidado!

Al día siguiente, con la primera luz del alba, el Ratón inició su viaje. No había transcurrido del todo la mañana cuando el Ratón supo ya lo que eran el peligro y el miedo.

Desde detrás de un árbol saltó un Gato.

—Voy a comerte para almorzar —dijo.

El Ratón escapó por los pelos. Corrió para salvar la vida pero se dejó parte de la cola en las fauces del Gato.

A primera hora de la tarde, el Ratón había sido ya atacado por aves y por perros. Había perdido el camino varias veces. Estaba magullado y ensangrentado. Cansado y asustado.

A la caída de la tarde, el Ratón trepó lentamente al último cerro y contempló la costa extendiéndose ante sus ojos. Vio las olas que rompían en la playa, una tras otra. Todos los colores del poniente llenaban el cielo.

—¡Qué hermoso! —exclamó el Ratón—. ¡Ojalá estuvieran aquí Papá y Mamá para admirar esto conmigo!

La luna y las estrellas empezaban a dejarse ver sobre el océano. El Ratón lo contemplaba todo en silencio sentado en la cima del cerro.

Estaba anonadado por un profundo sentimiento de paz y felicidad.

Un momento de auténtica dicha compensa con creces todas las leguas de un penoso camino.